BERNARDO y CANELO

Edición a cargo de Verónica Uribe
Diseño: Ana Palmero Cáceres

Primera edición en tapa dura, 2011

Av. Luis Roche, Edif. Banco del Libro, Altamira Sur. Caracas 1060, Venezuela

C/Sant Agustí 6, bajos. 08012 Barcelona, España

www.ekare.com

ISBN 978-84-938429-5-6

Impreso en China por South China Printing Co. Ltd.

BERNARDO Y CANELO

FERNANDO KRAHN

EDICIONES EKARÉ

Bernardo y su perro Canelo van al circo a divertirse.

«¡Salta!» ordena el domador de fieras.

«¡Uuugh!» se queja Krakón, el hombre más fuerte del mundo.

«¡Tuturú-turú-turú!» suena la trompeta
de los payasos equilibristas.

«¡Uno, dos, tres! ¡Uno, dos, tres!» cuenta Tomatito
haciendo malabarismos.

De regreso a casa, Bernardo quiere ser payaso
y hacer muchos trucos.

Pero, primero, hay que practicar.

Ejercicio Nº 1: Bonito.

Ejercicio Nº 2: Difícil.

Ejercicio Nº 3: ¡Peligroso!

«¡Qué percance!»

Canelo también ensaya algunos trucos...

...y sigue practicando mientras Bernardo sueña.

Al día siguiente, Bernardo vuelve a practicar.

«¡Salta, Canelo, salta!»

Pero Canelo no está interesado.

«¡Canelo! ¡Canelo! ¿Dónde estás?»

Se hace de noche. Canelo no aparece
y ya nada resulta divertido.

«¿Han visto a mi perro?» pregunta Bernardo
por todos lados.

Pasan los días y Bernardo vuelve al circo
para olvidar sus penas.

«¡Canelo!»

«¡Te he echado de menos, Canelo!» exclama Bernardo.

De ahora en adelante, inventarán trucos juntos
y no se separarán jamás.

Esta edición
en homenaje a Fernando Krahn
se terminó de imprimir
en julio de 2011.

Fernando Krahn

Creador e ilustrador de libros para niños, artista plástico y dibujante humorístico,
publicó sus historias y caricaturas en Europa, Estados Unidos, Chile y Venezuela.
Con su mujer, María de la Luz Uribe, entró al mundo de la literatura infantil
y juntos obtuvieron importantes reconocimientos por su trabajo,
entre ellos el Apel·les Mestres en 1982. Siempre inquieto, incursionó en el cine,
los cómics y la animación e inventó curiosos juegos de mesa.
Cada cierto tiempo salía con su cámara por las calles de Sitges y
filmaba con familiares y amigos unas graciosas películas caseras.
Nació en Santiago de Chile en 1935 y falleció en Sitges, España en 2010.